Music等于Footage不等于Music　Music等于Footage不等于Music

Music等于Footage不等于Music Music等于Footage不等于Music

Music等于Footage不等于Music　Music等于Footage不等于Music

YINYUE＝YINGXIANG≠YINYUE

音乐＝影像≠音乐

周
杰
伦

Jay Chou

接力出版社
Publishing House

目　录

创意梦想家 文/方文山

　　一枚唱片圈的好友，"杰伦"小天王要出书了，这说法似乎有点见外，有点在装不熟。或者换个说法则是，有着革命情感的Partner "Jay Chou"要出新书了，这好像又有点矫情了。实在是我跟周同学太熟了，认识都已经超过十年了，突然要很正式地去介绍他，总觉有点别扭，那我就简单地说好了，周同学要出书了！就这样……呵呵！

　　接下来就直接介绍书的内容吧！关于这本《音乐=影像≠音乐》图文书，某种程度上可说是影像化的杰伦，但这只是一部分的杰伦，就像音乐也只是一部分的他，我想应该还没有人看过完整的他，因为他还在不停地蜕变成长中。杰伦他一直是个勇于突破现状，而且有着十足执行力的创意梦想家，有句话是这么说的："创意如果没有彻底去执行，就只是朋友之间的聊天而已。"而杰伦通常都会把跟朋友的聊天内容付诸实际行动。

他一直在挑战自己的无限可能性，一直在测试自己的极限。从一开始的专辑制作，他是歌手也是制作人，整个音乐制作过程中，从作词、作曲、编曲、制作、配唱，他都一手包办，是个全才型的音乐人。最后甚至连专辑MV都自行执导拍摄，他跨领域跨得有模有样，而不只是玩票而已。他应该是华语流行歌手中专辑十首MV都自行执导拍摄的第一人，很少有创作型歌手可以在独揽整张专辑制作之后，还有精力去执导所有的MV拍摄。而且他除了自己专辑的MV拍摄外，也执导过其他歌手的MV，俨然就是一副专业MV导演的架势。

最后，他还意犹未尽地去执导拍摄一部电影剧情长片《不能说的秘密》，这部电影，他自编、自导、自演，以及参与主题曲与配乐的创作，跟音乐专辑一样又是一手包办，以流行歌手的身份实际而全面地参与一部电影的拍摄，这应该又是另一项纪录保持人。而这些关于创意的梦想，都是他在聊天中跟我们谈及的一些话题，没想到他全部付诸实行。

在从事这么多影像的工作后，必定也会留下众多相关的数据与记录。这本《音乐=影像≠音乐》图文写真书里的照片，就是取材自杰伦他自己所执导的MV中一些精彩花絮的侧拍。这些影像照片里的空间布置、道具陈设、灯光、镜位以及演员服装造型等，都是在杰伦事必躬亲的要求下所构筑完成的画面，也就是说这些照片可谓百分百杰伦式影像思考下的产物，他等同于这本图文写真书的影像导演。就像他的原创音乐作品一样，这些照片也有着属于他的特殊风格，一种杰伦式的影像表情。

在杰伦的专辑作品中，音乐可以等于影像，因为他所创作出的音符是有情绪的，旋律是有张力的，而编曲也是有想象空间的，这让音乐本身即具备影像画面感，你可能因为他一段凄美的和弦，而勾引出你记忆深处一段不为人知的故事，而这故事当然是有剧情、有影像的，所以，我们可以说：他的"音乐=影像"。虽然音乐可以等于影像，但影像却不一定等于音乐，这是因为影像照片是静止的，是不流动的，像停格的记忆一样，它可能是一段悲伤或快乐的情节，但却不是向前流动的故事。也因此，杰伦认为"音乐=影像"，但"影像≠音乐"，这当然也是杰伦个人对艺术本质的一种解释，以他非常周杰伦的方式！

Music等于Footage不等于Music　　Music等于Footage不等于Music　　Music等于Footage不等于Music　　Music等于Footage不等于Music　　Music等于
Footage不等于Music　　Music等于Footage不等于Music　　Music等于Footage不等于Music　　Music等于Footage不等于Music　　Music等于Footage不等于
Music　　Music等于Footage不等于Music　　Music等于Footage不等于Music　　Music等于Footage不等于Music　　Music等于Footage不等于Music　　Music
等于Footage不等于Music　　Music等于Footage不等于Music　　Music等于Footage不等于Music　　Music等于Footage不等于Music　　Music等于Footage
不等于Music　　Music等于Footage不等于Music　　Music等于Footage不等于Music　　Music等于Footage不等于Music　　Music等于Footage不等于Music
Music等于Footage不等于Music　　Music等于Footage不等于Music　　Music等于Footage不等于Music　　Music等于Footage不等于Music　　Music等于
Footage不等于Music　　Music等于Footage不等于Music　　Music等于Footage不等于Music　　Music等于Footage不等于Music　　Music等于Footage不等于
Music　　Music等于Footage不等于Music　　Music等于Footage不等于Music　　Music等于Footage不等于Music　　Music等于Footage不等于Music　　Music
等于Footage不等于Music　　Music等于Footage不等于Music　　Music等于Footage不等于Music　　Music等于Footage不等于Music　　Music等于Footage
不等于Music　　Music等于Footage不等于Music　　Music等于Footage不等于Music　　Music等于Footage不等于Music　　Music等于Footage不等于Music
Music等于Footage不等于Music　　Music等于Footage不等于Music　　Music等于Footage不等于Music　　Music等于Footage不等于Music　　Music等于
Footage不等于Music　　Music等于Footage不等于Music　　Music等于Footage不等于Music　　Music等于Footage不等于Music　　Music等于Footage不等于
Music　　Music等于Footage不等于Music　　Music等于Footage不等于Music　　Music等于Footage不等于Music　　Music等于Footage不等于Music　　Music
等于Footage不等于Music　　Music等于Footage不等于Music　　Music等于Footage不等于Music　　Music等于Footage不等于Music　　Music等于Footage
不等于Music　　Music等于Footage不等于Music　　Music等于Footage不等于Music　　Music等于Footage不等于Music　　Music等于Footage不等于Music
Music等于Footage不等于Music　　Music等于Footage不等于Music　　Music等于Footage不等于Music　　Music等于Footage不等于Music　　Music等于
Footage不等于Music　　Music等于Footage不等于Music　　Music等于Footage不等于Music　　Music等于Footage不等于Music　　Music等于Footage不等于
Music　　Music等于Footage不等于Music　　Music等于Footage不等于Music　　Music等于Footage不等于Music　　Music等于Footage不等于Music　　Music
等于Footage不等于Music　　Music等于Footage不等于Music　　Music等于Footage不等于Music　　Music等于Footage不等于Music　　Music等于Footage
不等于Music　　Music等于Footage不等于Music　　Music等于Footage不等于Music　　Music等于Footage不等于Music　　Music等于Footage不等于Music
Music等于Footage不等于Music　　Music等于Footage不等于Music　　Music等于Footage不等于Music　　Music等于Footage不等于Music　　Music等于
Footage不等于Music　　Music等于Footage不等于Music　　Music等于Footage不等于Music　　Music等于Footage不等于Music　　Music等于Footage不等于
Music　　Music等于Footage不等于Music　　Music等于Footage不等于Music　　Music等于Footage不等于Music　　Music等于Footage不等于Music　　Music
等于Footage不等于Music　　Music等于Footage不等于Music　　Music等于Footage不等于Music　　Music等于Footage不等于Music　　Music等于Footage
不等于Music　　Music等于Footage不等于Music　　Music等于Footage不等于Music　　Music等于Footage不等于Music　　Music等于Footage不等于Music
Music等于Footage不等于Music　　Music等于Footage不等于Music　　Music等于Footage不等于Music　　Music等于Footage不等于Music　　Music等于
Footage不等于Music　　Music等于Footage不等于Music　　Music等于Footage不等于Music　　Music等于Footage不等于Music　　Music等于Footage不等于
Music　　Music等于Footage不等于Music　　Music等于Footage不等于Music　　Music等于Footage不等于Music　　Music等于Footage不等于Music　　Music
等于Footage不等于Music　　Music等于Footage不等于Music　　Music等于Footage不等于Music　　Music等于Footage不等于Music　　Music等于Footage
不等于Music　　Music等于Footage不等于Music　　Music等于Footage不等于Music　　Music等于Footage不等于Music　　Music等于Footage不等于Music
Music等于Footage不等于Music　　Music等于Footage不等于Music　　Music等于Footage不等于Music　　Music等于Footage不等于Music　　Music等于
Footage不等于Music　　Music等于Footage不等于Music　　Music等于Footage不等于Music　　Music等于Footage不等于Music　　Music等于Footage不等于
Music　　Music等于Footage不等于Music　　Music等于Footage不等于Music　　Music等于Footage不等于Music　　Music等于Footage不等于Music

1.
超人不会飞

反其道而行　就是我的风格

　　那年我为了替"南拳妈妈"争取发片的机会，不想只靠音乐来传达，我想通过音乐录像带，更完整呈现"南拳妈妈"这个团体的概念，于是我着手执导了第一部音乐录像带——《家》。

BATCAR

妈妈说很多事别太计较　只是使命感找到了我　我睡不着　如果说骂人要有点技巧　我会加点旋律你会觉得　超好　我的枪不会装弹药(弹药)　所以放心不会有人倒(人倒)　我拍《青蜂侠》不需要替身　因为自信是我绘画的颜料

我做很多事背后的意义远比你们想象　拍个电视剧为了友情与十年前的梦想　收视率再高也难抗衡我的伟大理想　因为我的人生无须再多一笔那奖项　我不知道何时变成了社会的那榜样　被狗仔拍要对着镜头要大器的模样(怎样)

我唱的歌词要有点文化　因为随时会被当教材　CNN能不能等英文好一点再访　时代杂志封面能不能重拍　随时随地注意形象　要控制饮食不然就跟杜莎夫人蜡像的我不像(本来就不像)　好莱坞的中国戏院地上有很多手印脚印何时才能看见我的掌

哦如果超人会飞　那就让我在空中停一停歇　再次俯瞰这个世界　会让我觉得好一些　拯救地球好累　虽然有些疲惫但我还是会　不要问我哭过了没　因为超人不能流眼泪

唱歌要拿最佳男歌手　拍电影也不能只拿个最佳新人　你不参加颁奖典礼就是没礼貌　你去参加就是代表你很在乎　得奖时你感动落泪(落泪)　人家就会觉得你夸张做作(做作)
你没表情别人就会说太器张　如果你天生这个表情　那些人甚至会怪你妈妈(妈妈)　结果最后是别人在得奖　你也要给予充分的掌声与微笑

开的车不能太好　住的楼不能太高　我到底是一个创作歌手还是好人好事代表　专辑一出就必须是冠军　拍了电影就必须要大卖　只能说当超人真的太难

如果超人会飞(超人会飞)　那就让我在空中停一停歇(停一停歇)　再次俯瞰这个世界　会让我觉得好一些　拯救地球好累(地球好累)　虽然有些疲惫但我还是会(我还是会)　不要问我哭过了没　因为超人不能流眼泪

2.
夜的第七章

1983年小巷　12月晴朗　夜的第七章　打字机继续推向　接近事实的那下一行　石楠烟斗的雾　飘向枯萎的树　沉默地对我哭诉　贝克街旁的圆形广场　盔甲骑士　臂上　鸢尾花的徽章　微亮　无人马车声响　深夜的拜访　邪恶在维多利亚的月光下　血色的开场　消失的手枪　焦黑的手杖　融化的蜡像　谁不在场　珠宝箱上　符号的假象　矛盾通往　他堆砌的死巷　证据被完美埋葬　那嘲弄苏格兰警场　的嘴角上扬
如果邪恶　是华丽残酷的乐章　（那么正义　是深沉无奈的惆怅）　它的终场　我会　亲手写上　（那我就点亮　在灰烬中的微光）
晨曦的光　风干最后一行忧伤　（那么雨滴　会清洗黑暗的高墙）　黑色的墨　染上安详　（散场灯关上　红色的布幕下降）
事实只能穿向　没有脚印的土壤　突兀的细微花香　刻意显眼的服装　每个人为不同的理由戴着面具说谎　动机也只有一种名字那叫做欲望　越过人性的沼泽　谁真的可以不被弄脏　我们可以　遗忘　原谅　但必须知道真相　被移动过的铁床　那最后一块图终于拼上
我听见脚步声　预料的软皮鞋跟　他推开门晚风晃了煤油灯　一阵　打字机停在凶手的名称　我转身　西敏寺的夜空　开始沸腾　在胸口绽放　艳丽的死亡　我品尝这最后一口甜美的真相　微笑回想正义只是安静的伸张　提琴在泰晤士
如果邪恶　是华丽残酷的乐章　（脚步声　预料的软皮鞋跟　他推开门晚风晃了煤油灯　一阵）　它的终场　我会　亲手写上　（打字机停在凶手的名称　我转身　西敏寺的夜空　开始沸腾）　黑色的墨　染上安详
如果邪恶　是华丽残酷的乐章　它的终场　我会　亲手写上　晨曦的光　风干最后一行忧伤　黑色的墨　染上安详

对我来说　它是
遗珠之憾

如果要说我最得意的几部作品，《夜的第七章》绝对是其中之一。

为了《夜的第七章》这部音乐录像带，特地跑到英国取景拍摄，我们用有限的资源和人力，但用电影的规格和故事结构完成整部MV。全片没有半句对白、台词，更没有字幕，完全用画面和音乐来制造悬疑紧张的气氛。

老实讲，我觉得《夜的第七章》当初没有入围金曲奖十分可惜。

当时我真的很想问问评审，《红磨坊》(当年《红磨坊》入围金曲奖最佳音乐录像带奖)真的比《夜的第七章》好吗？

我心目中的35毫米导演　　摄影师　　张肇轩

初见他时，他是一位创作歌手，但现在则是个专业导演了。就算他现在成绩斐然，他也未因此松懈懒惰，他仍是不间断地从剧组人员或是其他团队中学习。

从一开始合作，我们讨论构图、讨论色调，到现在他已经可以完全掌控他要的镜位、灯光，甚至是更专业的细节。

对于一部MV来说，大方向是他最在乎的，剩下的部分，他会让我们各自发挥。看似掌控一切，却是懂得释放更多空间给身边的人，这就是他独特的行事风格。

如果逆光是他的偏好，那台风来袭前的天空则是他最爱的景色。所以我们常会收到他发的临时通告，为的就是拍下这难得的景象，放进MV里。

这几年因为音乐录像带预算的关系，大部分的导演已经很少使用film来拍摄，只有他还是这么喜欢35毫米的底片。从这点就可以知道，他就是这么坚持的导演，他很清楚自己要什么，更知道观众要看到什么。我们也都期待已经站上世界级舞台的他，永不间断地挑战自己，未来也期待他能够拍出更精彩的作品。

3.
龙战骑士

因为我是
周杰伦

"因为他是周杰伦啊！预算这么高，资源又多，什么不能拍……"

没错！我的MV预算的确比别的歌手高出许多。那是因为，我常在想许多全球大牌歌手的音乐录像带，因为坚持质量，总是不惜成本，为的就是这几分钟，不是吗？为什么别人做得到，我们做不到？我知道，大家对于我花费大笔的预算来拍摄MV，很不以为然。但一个作品的好坏，怎能用预算多少去衡量呢？

你用很低的预算拍出很棒的作品，本来就应该获得掌声，因为这是值得骄傲的一件事。但我用高预算、高标准拍出来的好作品，对别人来说却是理所当然的。

只是，我纯粹地想拍好，拍得更有质感，这样难道不值得被鼓励、被赞赏吗？

放手一搏令谁都惭愧　迎着风极速在超越　那守门之兽展翼将飞　他们却没看过蝴蝶　不懂什么叫有花香的季节　什么叫绿草如茵的旷野　所有关于我的传说　全都不对　全部都是纸屑　全部要改写　对敌人谦卑　抱歉我不会　而远方龙战于野　咆哮声不自觉　横越过了几条街　我坚决　冲破这一场浩劫　这世界谁被狩猎　谁淌血我却只为　拯救你的无邪　城墙上我在等魔坠　火焰吞噬无名碑　摧毁却无法击溃　我要爱上谁　废墟怎么被飞雪了解　只能滋长出羊齿蕨　那些仇恨已形成堡垒　我又该怎么去化解　低吼威胁　那些龙形的傀儡　他们发不出的音叫心碎　惊觉你啜泣声迂回　如此纯洁　以温柔削铁　以爱在谅解　在末日边陲　纯爱被隔绝　我在危城的交界　目睹你的一切　锈迹斑斑的眼泪　我坚决　冲破这一场浩劫　这世界谁被狩猎　谁淌血我却只为　拯救你的无邪　城墙上我在等魔坠　火焰吞噬无名碑　摧毁却无法击溃　我要爱上谁　我坚决　冲破这一场浩劫　这世界谁被狩猎　摧毁却无法击溃　我要爱上谁

4.
跨时代

我就是爱看商业大片

　　不管是学习也好，娱乐也罢，我喜欢坐在电影院里，盯着眼前的大银幕一两个小时。

　　别因为我擅长拍爱情类型的音乐录像带，就以为我爱看"爱情文艺片"。

　　坦白说，爱情文艺片绝对不是我的首选，更不是我的最爱。我就是像一般观众一样，热爱典型商业电影，大预算大阵容大场面。所以不要觉得看商业电影就显得俗气，也别因为看艺术电影就自命清高。

场景1

场景2

场景4

场景3

草图1

《跨时代》钢琴草图

《跨时代》钟楼正视尺寸修改版本

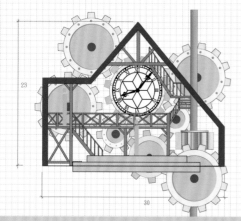

《跨时代》草图

草图2　草图3

《跨时代》钟楼俯视尺寸修改版本

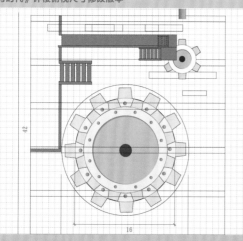

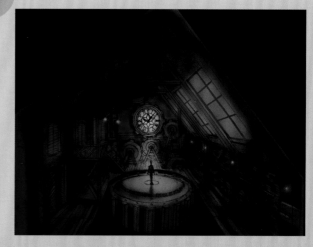

《跨时代》城堡外观示意图

《跨时代》餐厅示意图

钟　逆时针而绕　恶物狰狞的倾巢　我谦卑安静的于城堡下的晚祷　压抑远古流窜的蛮荒暗号　而管风琴键高傲地说那只是在徒劳

嗷嗷嗷嗷嗷　我的乐器在环绕　时代无法淘汰我霸气的皇朝　你无法预言　因为我越险翅越艳　没有句点　跨时代蔓延　翼朝天
月下浮雕　魔鬼的浅笑　狼迎风嚎　蝠翔似黑潮　用孤独去调尊严的色调

我跨越过时代　如兽般的姿态　琴声唤醒沉睡的血脉　不需要被崇拜　如兽般的悲哀　只为永恒的乐曲存在　醒过来

我不需要被崇拜　我不需要被崇拜

5.
乔克叔叔

所谓的成就感这件事

　　当MV导演有种感觉是电影导演所无法拥有的，就是MV可以在很短的时间内拍摄完成，不但可以完整表达我要的影像概念，又可以及时看到完成品，这样的成就感可以很快就感受到。

亲爱的　别吓到闭上了眼睛　小丑把戏　不是大家都可以　夸张眼影　蓝色忧伤的泪滴　丢丢刀　喷喷火　踩高跷吹笛
跌倒失手烧到眉毛我故意　哈哈你笑得开心我可是在玩命　扑克牌里　我的肖像才一两张　你看你看我的重要性

彩色的　大卷发　红鼻子　最滑稽的步法　这样的快乐你学会了吗　用笨拙　又惊险　的杂耍　继续对你装傻　所有的悲伤通通忘了吧

听我说　拿出你的钞票　笑平常买不到　先生小姐们赶快来　赶快来　再慢就看不到　座位没剩多少　还能跟乔克叔叔拍　一张照

我只是　卑微的小丑　翻几个跟头　就等你拍一拍手　人群散了后　夜色多朦胧　月光也会跟着我
我不是　孤独的小丑　你笑了之后　不需要记得我　灯熄的时候　满天的星空　最明亮的是寂寞

下着雨　我躲在　面具里　偷偷地　在哭泣　因为看了《不能说的秘密》　魔术师　我恨你　抢走我的生意　别忘记　《蝙蝠侠》靠我才票房冠军
听我说　拿出你的钞票　笑平常买不到　先生小姐们赶快来　赶快来　再慢就看不到　座位没剩多少　还能跟乔克叔叔拍　一张照

我只是　卑微的小丑　翻几个跟头　就等你拍一拍手　人群散了后　夜色多朦胧　月光也会跟着我
我不是　孤独的小丑　你笑了之后　不需要记得我　灯熄的时候　满天的星空　最明亮的是寂寞

我只是　卑微的小丑　翻几个跟头　就等你拍一拍手　人群散了后　夜色多朦胧　月光也会跟着我
我不是　孤独的小丑　你笑了之后　不需要记得我　灯熄的时候　满天的星空　最明亮的是寂寞

《乔克叔叔》MV1

《乔克叔叔》MV2

《乔克叔叔》MV3

《乔克叔叔》草图

6.
魔术先生
获得金马新人奖很不好意思

演MV也是一种表演训练，虽然没有对白，可是却要很精准地把情绪表达出来。

所以当年获得金马新人奖时，我觉得很不好意思，因为我有了很多演出MV的机会和经验了。

你举手　你抬头　你说选我选我
手上锁　又挣脱　你仍一脸迷惑
吹个风　手一松　那硬币　竟失踪
一鞠躬　那掌声　拍得凶

手交错　轻轻碰　戒指换手移动
给观众　一个梦　讶异中有笑容
手穿海报却不拿汉堡　反而拿出牛仔帽
你永远都　猜不着
每当我在台上演出人体飘浮
你就在台下偷偷吃我的泡芙
等待白鸽飞出　再将爱说清楚

啊　读你读你读　心想啥事
用古典迫牌方式
我手法精致　艾尔姆支雷一百分的姿势
谁谈恋爱别找魔术师
我不需要解释　所以他小丑我是大师

你举手　你抬头　你说选我选我
我将牌　换颜色　变出你的选择
将自由　的女神　变不见　不稀奇
一〇一　变不见　才惊喜

手摊开　帽子里　总能空手出牌
不管切　多少牌　总能切得回来
手穿海报却不拿汉堡　反而拿出牛仔帽
你永远都　猜不着
不要问我到底什么才是真的
我变给你看的感情才是真的
因为无时无刻我只想你快乐

啊　读你读你读　心想啥事
用古典迫牌方式

我手法精致　艾尔姆支雷一百分的姿势
谁说恋爱别找魔术师
我不需要解释　所以他小丑我是大师

读你读你读　心想啥事
用古典迫牌方式
我手法精致　艾尔姆支雷一百分的姿势
谁说恋爱别找魔术师
我不需要解释　所以不用麻烦了　不用麻烦了　不用麻烦了

读你读你读　心想啥事
用古典迫牌方式
我手法精致　艾尔姆支雷一百分的姿势
谁说恋爱别找魔术师
我不需要解释　所以他小丑我是大师

《魔术先生》MV1

《魔术先生》MV2

《魔术先生》场景示意图

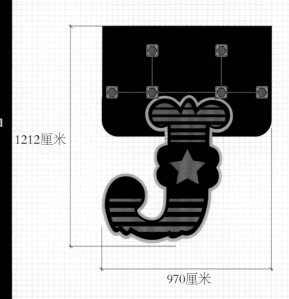

《魔术先生》俯视尺寸图

1212厘米

970厘米

「魔术先生」场景正视尺寸图

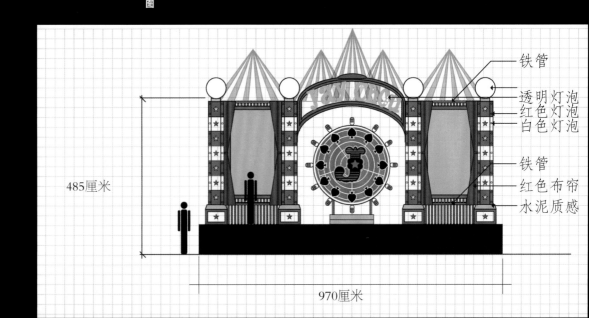

铁管

透明灯泡
红色灯泡
白色灯泡

铁管
红色布帘
水泥质感

485厘米

970厘米

7.

发如雪

他绝对是天才导演　副导演　珍妮花

　　当他的MV还是由邝盛导演执导时，他就开始参与MV后期剪接工作。也因为这样，我们总是在剪接室里，进行着没日没夜的后期制作。

　　这位亚洲巨星果然大气，明明只有我们两个人的剪接室，竟然带了十人份的食物来，看到眼前丰盛的食物，不知该哭还是该笑。

　　接下来的日子里，原本预计要到意大利面店打工的我，跟他长谈过后，没想到出现戏剧化的转变——我变成了周杰伦的副导，而他开始了MV导演路。

　　才刚谈完后没几天，他的MV拍摄工作就如火如荼地开始了。《发如雪》是他设立制作公司后第一部音乐录像带。

　　我常常在想：他应该天生是个电影导演才对。

　　他太爱说故事了，而且是那种很扎实的故事剧情，他甚至比谁都重视剧情的完整性。他常把这些可以拍成电影的故事画面，运用在拍摄音乐录像带上。除了自身的努力以外，他绝对是个天才型导演。他就像强力海绵一样，吸收十分迅速。

　　近几年他学到很多，也看到很多，视野越来越全球化。他后面几张专辑的音乐录像带，要求越来越高。他喜欢反差大的影像视觉和别人少用的摄影镜位，与众不同一直是他所追求的。

　　对于主观意识都十分强烈的我们来说，在画面解读上面落差十分大，所以我只要反向思考，通常都会比较符合他的要求，渐渐地变成一种很莫名的默契。

　　最后趁机在此澄清一件事情。当初我拍摄《青花瓷》时，受到很多关于这部MV有抄袭《发如雪》之嫌疑的评判。其实这部MV剧情构思来自杰伦本身，因为他想拍《发如雪》的续集，所以别再说谁抄袭谁了。

狼牙月　伊人憔悴
我举杯　饮尽了风雪
是谁打翻前世柜　惹尘埃是非

缘字诀　几番轮回
你锁眉　哭红颜唤不回
纵然青史已经成灰　我爱不灭

繁华如三千东流水　我只取一瓢爱了解
只恋你化身的蝶

你发如雪　凄美了离别
我焚香感动了谁
邀明月　让回忆皎洁
爱在月光下完美
你发如雪　纷飞了眼泪
我等待苍老了谁
红尘醉　微醺的岁月

我用无悔　刻永世爱你的碑

Rap：
你发如雪　凄美了离别
我焚香感动了谁
邀明月　让回忆皎洁
爱在月光下完美
你发如雪　纷飞了眼泪
我等待苍老了谁
红尘醉　微醺的岁月

啦儿啦　啦儿啦　啦儿啦儿啦
啦儿啦　啦儿啦　啦儿啦儿啦
铜镜映无邪　扎马尾
你若撒野　今生我把酒奉陪

8.

雨下一整晚

我相信缘分这件事

　　我常在想，我身边这些人，跟我到底有多深的缘分存在。这样的想法也完全反映在我的音乐录像带里面。我很着迷前世今生这样的故事题材，因为只用一个时代，是无法言语我的画面的。

　　前世错过了，今生又错过，这样遗憾的爱，更显得唯美，毕竟遗憾的回忆总是让人深刻。

　　所以我很相信缘分这件事情。

《雨下一整晚》MV1

《雨下一整晚》MV2

《雨下一整晚》照相馆草图1

《雨下一整晚》照相馆草图2

街灯下的橱窗　有一种落寞的
温暖　吐气在玻璃上　画着你
的模样　开着车漫无目的地转
弯　不知要去哪个地方　闹区
的电视墙　到底有谁在看

白杨木　影子被拉长　像我对
你的思念走不完　原来我从
未习惯你已不在我　身旁　街
道的　铁门被拉上　只剩转角
霓虹灯还在闪　这城市　的小
巷　雨下一整晚

你撑把小纸伞　叹姻缘太婉
转　雨落下雾茫茫　问天涯
在何方　午夜笛笛声残　偷
偷透透过窗　烛台前我嘛还在
想　小舢板　划啊划　小纸
伞　遮雨也遮月光

9.
免费教学录影带

我就是与众不同

　　我喜欢找大家都没有用过的场景，或者大家没有拍过的题材来挑战。

　　包括造型也是，每张专辑的音乐录像带拍摄工作，对我来说都是自己对自己的挑战，自己才是自己最大的劲敌。不断地突破挑战，是我的原则。

如果你　想要变成一个Rocker　你就必须要先有一把Guitar　刷和弦的时候尽量不用Pick　啊看起来样子会
比较随性　就算你弹错了大家会以为　你是故意(嗒嗒啦嗒)

你是不是　啊哈　感觉到了　我的和弦　啊哈　在重复着　哎哟不错代表你耳朵没有聋　Blues就是在重复这
几个和弦　摇滚的节奏在右手　灵魂在左手　心就是宇宙　我弹的叫自由(嗒嗒啦嗒)

听我的Blues(Blues)　要学会尖叫(尖叫)　比一个Peace(Peace)　是为了拍照(拍照)　丢一块Ice(Ice)　叫他不要
吵(不要吵)　摇滚不是为了把妹是为了梦想　当然魅力太强被别人爱上我没办法

啊　断了

没关系再买一把吉他(吉他)　没有钱就借别人的吧(的吧)　怎么会有人喜欢摔吉他(吉他)　有种你就摔最贵的
吉他(吉他)　你要好好珍惜它　它才会对你说话

手在弹如果脚有点闲　再加点舞蹈就太完美了　举起你的单手给他个　啵！　千万别在这时放个屁　啵！
Oh　Oh　美女在哪你就要看到哪　你一定以为我接下来要唱副歌　Oh　Oh　还没　不急　我先教你弹　再
升一格　再升一格　最后退一格　啊

听我的Blues(Blues)　要学会尖叫(尖叫)　比一个Peace(Peace)　是为了拍照(拍照)　丢一块Ice(Ice)　叫他不要
吵(不要吵)　摇滚不是为了把妹是为了梦想　当然魅力太强被别人爱上我没办法

再来一次　如果你加几个音就变乡村风味　大家听久了都(咩)会很想喝牛奶　牛仔很忙没有空帮你挤牛奶
(这是羊不是牛)(是哦)　不过不要笨到自己跑去挤牛奶(没有啦)　因为临时要在路边找到一头牛真的很难
(啦啦啦啦啦啦啦啦)

再来一次　最后一次　再啵一次

10.
自导自演

跳舞跳不过别人　车子就要比别人厉害

很多R&B歌手，会把车子放进场景里，衬托MV的霸气。

《自导自演》这部MV里面的那台车，是2009年雪铁龙在上海车展时发布的概念车"雪铁龙GT"。由于是概念车且没有量产，所以只有在MV中独一无二地亮过相，让我在拍摄过程中觉得自己超级幸运。

虽然舞跳得没有别人好，但车子就要比别人厉害啊！

《自导自演》MV1

《自导自演》MV2

《自导自演》MV3

巷口甩尾甩开了过去的熟悉
照后镜的你比脑海清晰
你我距离就像打滑和那飘移
差很远但看似很接近

车灯闪了一下代表我还在意
被我看见你上他的车这么不小心(不小心)
喇叭按了两声代表我会离去
你放心我理解这游戏

呼啸而过的引擎声
是你最讨厌的旋律
穿梭在城市中　变成一首幻想曲
一边疯狂记录一边璀璨地忘记
(忘记忘记忘记忘记)

你发脾气甩上车门香味留在车里
对不起要走可以关门别太大力
用点心你说不是用来吃的点心
冰淇淋融化了谎言在你身边的美丽

没有了雨雨刷还是不停左右
就像回忆开始对我挥了挥手
仪表板转动在猜我会不会懂
速度再快也追不回承诺

车窗摇下听你听你完美借口
音乐开大让我让我假装感动
贴心的你不用自导自演心痛
我看不懂我会更难过

11.
阳光宅男

我就是这么自恋

每次拍完MV，完成剪接后，我会一个人重复不断看个十来遍。

要到这么自恋的程度也很不容易呢。话说回来，如果连自己拍的MV都不喜欢，大家怎么会喜欢呢？

钥匙挂腰带　皮夹插后面口袋　黑框的眼镜有几千度　来海边穿西装裤　他不在乎　我却想哭　有点无助　他的样子像刚出土的文物

他烤肉竟然会　自带水壶　写信时用糨糊　走起路一不注意就撞树　我不想输　就算辛苦　我也要等　我也不能让你再走寻常路

我决定插手你的人生　当你的时尚顾问　别说你不能

让我们乘着阳光　海上冲浪　吸引她目光　不要怕露出胸膛　流一点汗　你成了型男
让我们乘着阳光　看着远方　别当路人甲　让美女缺氧　靠在你肩膀　我微笑在你旁边撑伞

哦对了对女生　用心疼　约会要等　讲笑话不能闷　别太冷　像我一样就刚好
对爱的人　接吻要深　拥抱要真　来电显示给个甜蜜的昵称　穿着要个性　这只是刚刚入门　接下来你还要会弹琴会写歌会双截棍
头脑清楚　不能迷糊　我要将你彻底改造基因重组大变身

我决定插手你的人生　当你的时尚顾问　别说你不能

让我们乘着阳光　海上冲浪　吸引她目光　不要怕露出胸膛　流一点汗　你成了型男
让我们乘着阳光　看着远方　别当路人甲　让美女缺氧　靠在你肩膀　我微笑在你旁边撑伞

让我们乘着阳光　海上冲浪　吸引她目光　不要怕露出胸膛　流一点汗　你成了型男
让我们乘着阳光　看着远方　别当路人甲　让美女缺氧　靠在你肩膀　我微笑在你旁边撑伞

12.
给我一首歌的时间

雨淋湿了天空　毁得很讲究　你说你不懂　为何在这时牵手　我晒
干了沉默　悔得很冲动　就算这是做错　也只是怕错过
在一起叫　梦　分开了叫　痛　是不是说　没有做完的梦最痛　迷
路的后果　我能承受　这最后的出口在爱过了才有
能不能给我一首歌的时间　紧紧地把那拥抱变成永远　在我的怀里
你不用害怕失眠　哦如果你想忘记我也能失忆
能不能给我一首歌的时间　把故事听到最后才说再见　你送我的眼
泪　让它留在雨天　哦越过你画的线我定了勇气　的终点
哦你说我不该不该　不该在这时候说了我爱你　要怎么证明我没有
说谎的力气　哦请告诉我　暂停算不算放弃　我只有一天的回忆

能不能给我一首歌的时间　紧紧地把那拥抱变成永远　在我的怀里你不用害怕失眠　哦如果你想忘记我也能失忆

能不能给我一首歌的时间　把故事听到最后才说再见　你送我的眼泪　让它留在雨天　哦越过你画的线我定了勇气　的终点

你说我不该不该　不该在这时说了爱你　要怎么证明我没有力气　告诉我暂停算不算放弃　你说我不该不该　不该在这时才说爱你

要怎么证明我没有力气　我只有一天的回忆

谁说他没有改变　发型师&造型师　林华湘（Emily）

　　担任他专属发型师一段时间后，有天他突然跟我说："下张专辑你来帮我弄造型。"

　　当时我只觉得他一定是没睡饱，脑袋不清楚。我最多平常逛街时随意帮他采买几件衣服，这跟唱片造型根本是两回事。

　　往往他一发片，从头到脚都是全亚洲注目的焦点，我可承担不起这等重责大任。再说，他真的不需要什么造型师。从以前到现在，他很清楚自己适合什么穿着，该作什么打扮。当时我完全没有把他的话当一回事，直到唱片公司郑重其事地跟我长谈后，我才发现："他是认真的……"

　　就这样，除了发型师这项工作外，我又多了个造型师的头衔。《牛仔很忙》是我第一次捉刀的作品。

　　每次发片前，他总会先和我讨论这张专辑他所想要的形象概念，明确地表达他的构思，找了很多参照，做了很多功课。就算如此，他还是给了我很多发挥空间，让我去执行我自己想要在他身上尝试的造型。

　　我们最大的共同点，就是喜欢新鲜有趣，而且最好要与众不同。所以每次的造型对我们来说，都是一次挑战。他总会欣然接受我给的意见和想法，再加上他自己的一些看法，他对任何事情总是抱着乐意尝试的态度，没有所谓的抗拒和排斥。

　　很多造型是一般男艺人不太轻易尝试的，但他都愿意尝试看看。各类各色的造型单品摆在他身上他都可以充分表现出来，他就是有这种本事。

　　没有自我设限，在他身上可以有无限的可能，所以别说他没有改变，他其实一直都在变。

13.
四面楚歌

如果已经有想法 其实重点就不是导演

在好莱坞参与拍摄《青蜂侠》时，研究了一下他们所使用的器材，其实和台湾是相同的。

所以我不能理解，到底差别在哪里，但我可以肯定的是，后期技术上面的确有很多我们可以学习的地方。因为我已经拍过太多自己的MV了，大家已经给予我很大的肯定了，所以我不用太坚持，非得自己拍摄不可。

但往往我又是一个很坚持的人，虽然嘴里一直说想让别人拍拍看，可是自己还是很想拍。

但如果已经有想法，其实重点就不是导演。

所以下张专辑，应该请全球大牌导演来拍摄MV，趁机学学别人的经验和技术。

14.
稻香

我热爱底片

　　我之前曾尝试过用HD拍摄，HD和Film所表现出来的感觉是很不一样的。

　　常因为场地限制，例如外出或者在人群里，HD的方便性是最高的。但我还是比较喜欢Film所呈现出来的质感，我一向很坚持我要的影像感觉。

对这个世界如果你有太多的抱怨　跌倒了就不敢继续往前走　为什么人要这么的脆弱　堕落　请你打开电视
看看　多少人为生命在努力勇敢地走下去
我们是不是该知足　珍惜一切　就算没有拥有

还记得你说家是唯一的城堡　随着稻香河流继续奔跑　微微笑　小时候的梦我知道　不要哭让萤火虫带着你
逃跑　乡间的歌谣永远的依靠
回家吧　回到最初的美好

不要这么容易就想放弃　就像我说的　追不到的梦想　换个梦不就得了　为自己的人生鲜艳上色　先把爱涂上喜欢的颜色　笑一个吧　功成名就不是目的
让自己快乐快乐这才叫做意义　童年的纸飞机　现在终于飞回我手里

所谓的那快乐　赤脚在田里追蜻蜓追到累了　偷摘水果被蜜蜂给叮到怕了　谁在偷笑呢　我靠着稻草人吹着风唱着歌睡着了
哦　哦　午后吉他在虫鸣中更清脆　哦　哦　阳光洒在路上就不怕心碎　珍惜一切　就算没有拥有

还记得你说家是唯一的城堡　随着稻香河流继续奔跑　微微笑　小时候的梦我知道　不要哭让萤火虫带着你逃跑　乡间的歌谣永远的依靠
回家吧　回到最初的美好

还记得你说家是唯一的城堡　随着稻香河流继续奔跑　微微笑　小时候的梦我知道　不要哭让萤火虫带着你逃跑　乡间的歌谣永远的依靠
回家吧　回到最初的美好

呜啦啦啦火车笛　随着奔腾的马蹄　小妹妹
吹着口琴　夕阳下美了剪影　我用子弹写日
记　介绍完了风景　接下来换介绍我自己

我虽然是个牛仔　在酒吧只点牛奶　为什么
不喝啤酒　因为啤酒伤身体　很多人不长眼
睛　嚣张都靠武器　赤手空拳就缩成蚂蚁

不用麻烦了　不用麻烦了　不用麻烦不用麻
烦了　不用麻烦了　你们一起上　我在赶时
间　每天决斗观众都累了　英雄也累了
不用麻烦了　不用麻烦了　副歌不长你们有
几个　一起上好了　正义呼唤我　美女需要
我　牛仔很忙的

（心爱ㄟ　你走去叨位　我那ㄟ拢没看到
你）

我啦啦啦骑毛驴　因为马跨不上去　洗澡都
洗泡泡浴　因为可以玩玩具　我有颗善良的
心　都只穿假牛皮　哦跌倒时尽量不压草皮

枪口它没长眼睛　我曾经答应上帝　除非是
万不得已　我尽量射橡皮筋　老板先来杯奶
昔　要逃命前请你　顺便喂喂我那只小毛驴

不用麻烦了　不用麻烦了　不用麻烦不用麻
烦了　不用麻烦了　你们一起上　我在赶时
间　每天决斗观众都累了　英雄也累了
不用麻烦了　不用麻烦了　副歌不长你们有
几个　一起上好了　正义呼唤我　美女需要
我　牛仔很忙的

不用麻烦了　不用麻烦了　不用麻烦不用麻
烦了　不用麻烦了　你们一起上　我在赶时
间　每天决斗观众都累了　英雄也累了
不用麻烦了　不用麻烦了　副歌不长你们有
几个　一起上好了　正义呼唤我　美女需要
我　牛仔很忙的

15.
牛仔很忙
快歌舞曲　激起我挑战的欲望

我很清楚，舞蹈不是我的强项，还好我懂音乐，所以拍摄快歌MV时，可以很快地抓到节奏。
因为快歌类型的音乐录像带，不管是画面还是节奏，都是得对点的。
我会看嘻哈歌手的MV，心里想着要如何与他们不同，拍出属于我们华人的快歌MV。
后期制作剪接时，也会和舞蹈老师讨论后，再做适度的修正。
舞曲拍得最好的首推邝盛导演，虽然他唱歌五音不全，但对于舞曲的画面，却掌握得非
常好。

16.
蛇舞

我其实很入戏

　　我在执导"南拳妈妈"的《消失》这首歌的MV时，因为剧情的关系，拍摄当天我其实很入戏，当时觉得太难过了。隔天还问了公司他们在哪里上通告，还特地去探班，确认他们两个（张杰和Lara）都还好好的，我才放心。

尼罗河悄悄　漫过纸莎草　蜿蜒像一袭不带感情的纱袍　而你穿上后转身为我舞蹈　为寂寥的大地舞一场惊叹号

黄昏燃烧　金字塔上的云角　人面狮身下的影子　在预兆　石阶上焚着油膏　在我国度里　堆积了　几个世纪的尘嚣

在羊皮卷角　古老的明了　谁都逃不掉　天平上的烦恼　你微微的笑　赤足又扭腰　朝着命运凿出一道　美艳的符号

来找我　找不到我　你那迷路的眼眸（那迷路的眼眸　找不到我）　跟着我　被我诱惑　众神都已着了魔（众神都着了魔　被我诱惑）

说爱我　爱不爱我　你那王者的沉默（那王者的沉默　爱不爱我）　看着我　被我诱惑　你的灵魂属于我（你灵魂属于我　被我诱惑）

17.
白色风车

他是爱吃零食的大导演　　助理　大　妮

如果要问我，对于他当导演这件事情有什么看法，我还真的不知从何说起。但我可以严肃指控他的就是，我应该是最常被他抓去拍MV的演员之一。

身为助理的我，你说我能对我的老板说"不"吗？

我只能说，他是一个冲劲十足的导演，不知道他哪来这么多精力和脑力。看到什么想到什么，于是他就开始打电话给身边的剧组人员。不是几个小时后就要开工，就是看到什么场景满脑子画面上来，赶快通知制片借场地。完成拍摄工作后，又开始进剪接室盯着计算机屏幕好几个钟头。

他总是用他仅剩的时间来完成这些事情，而不是拿来补充睡眠或者玩乐。就算再累再辛苦，他还是乐此不疲。

我还有一项非常重要的工作，那就是采买零食。因为不管在哪里工作，零食是他人生必备品。所以在整个MV拍摄工作当中，我最主要的工作则是大肆地采购导演零食。

可别小看，这可是很重要的呢！

白色的风车　安静地转着　真实的感觉　梦境般遥远　甜甜的海水　复杂
的眼泪　看你傻笑着　握住我的手

梦希望没有尽头　我们走到这就好　因为我不想太快走完这幸福　很可惜
没有祝福　当爱你并不孤独　不会再让你哭

我背你走到最后　能不能不要回头

你紧紧地抱住我　说你不需要承诺　你说我若一个人　会比较自由　我不
懂你说什么　反正不会松手

我背你走到最后　能不能别想太多　会不会
手牵着手　晚一点才到尽头　你说不该
再相见只为了瞬间

谢谢你让我听见　因为我在等待永远

18.
说好的幸福呢

情歌是用来发泄的

　　《说好的幸福呢》是一首很悲伤的情歌，但我没有采用以往剧情式的方式来拍摄，而是改用情境画面来呈现。

　　这首歌已经很悲伤了，如果是用故事剧情的方式来表现，就会显得太过悲伤，给人没有希望的感觉，毕竟情歌是用来发泄，而不是让人家看了更沮丧的。

你的回话凌乱着　在这个时刻
我想起喷泉旁的白鸽　甜蜜散落了

情绪莫名地拉扯　我还爱你呢
而你断断续续唱着歌　假装没事了

时间过了　走了　爱情面临选择　你冷
了　倦了　我哭了
离开时的不快乐　你用卡片手写着　有
些爱只给到这　真的痛了

怎么了　你累了　说好的　幸福呢
我懂了　不说了　爱淡了　梦远了
开心与不开心一一细数着　你再不舍
那些爱过的感觉都太深刻　我都还记得

你不等了　说好的　幸福呢
我错了　泪干了　放手了　后悔了

只是回忆的音乐盒还旋转着　要怎么停呢

你的回话凌乱着　在这个时刻
我想起喷泉旁的白鸽　甜蜜散落了
情绪莫名地拉扯　我还爱你呢
而你断断续续唱着歌　假装没事了

时间过了　走了　爱情面临选择　你冷
了　倦了　我哭了
离开时的不快乐　你用卡片手写着　有些
爱只给到这　真的痛了

怎么了　你累了　说好的　幸福呢
我懂了　不说了　爱淡了　梦远了
开心与不开心一一细数着　你再不舍
那些爱过的感觉都太深刻　我都还记得

你不等了　说好的　幸福呢
我错了　泪干了　放手了　后悔了
只是回忆的音乐盒还旋转着　要怎么停呢

怎么了　你累了　说好的　幸福呢
我懂了　不说了　爱淡了　梦远了我都还
记得

你不等了　说好的　幸福呢
我错了　泪干了　放手了　后悔了
只是回忆的音乐盒还旋转着　要怎么停呢

《说好的幸福呢》场景施工图

19.
时光机

阿郎注（很重要，所以我放了三个星号，不过星号是白色的，所以看不见很正常）

　　各位一定很奇怪为什么这部分没有MV内容的照片，其实杰伦那部MV拍得超好，简直就是漫画真人版的感人故事，但由于太好又太像，后来怕有版权上的疑虑，于是没有播过，本书也就没有放任何情节照片了。

　　啥？那我还放这个标题做什么？哦！那是基于两个理由：第一，页数会多两页；第二，你们可以看见这段话。

　　不过也别太难过，至少，看看杰伦在《时光机》现场的帅气工作样子，然后想象《时光机》MV有多可爱也是一种方法。

　　再提供另一个更能想象的帮助，就是记得我下面这句话："这部MV真的太可爱了。"

墙角迎风的雏菊　茉莉花开的香气　闭上眼回到过去　划分界线的桌椅　下课却靠在一起　我就是离不开你

一路乘着溜滑梯　我们说好走到底　以为从此就分离

用黑板上的日期　倒数找你　慢慢清晰　原来思念你　是加了糖的消息　我用铅笔　画得很仔细　素描那年天气　蝉鸣的夏季　我想遇见你

那童年的希望是一台时光机　我可以一路开心到底　都不换气　戴竹蜻蜓　穿过那森林　打开了任意门找到你　一起旅行
那童年的希望是一台时光机　你我翻滚过的榻榻米　味道熟悉　所有回忆　在小叮当口袋里　一起荡秋千的默契　在风中持续着甜蜜

有些话总来不及　一直都放在心底　想要将你看仔细　但错身而过的你　已经离去

oh　慢慢清晰　原来思念你　是加了糖的消息　我用铅笔　画得很仔细　素描那年天气　蝉鸣的夏季　我想遇见你

那童年的希望是一台时光机　我可以一路开心到底　都不换气　戴竹蜻蜓　穿过那森林　打开了任意门找到你　一起旅行
那童年的希望是一台时光机　你我翻滚过的榻榻米　味道熟悉　所有回忆　在小叮当口袋里　一起荡秋千的默契　在风中持续着甜蜜

持续着甜蜜　持续着甜蜜　持续着甜蜜

我想给歌迷的期待

像以往，很多歌迷都会期待 M.J. (Michael Jackson)发片，和看到他的MV。

每年，我也会想给歌迷这样的期待，当然也包括同行。我们拍摄MV的预算可以拍摄一部电影短片了，为的就是不让广大歌迷朋友失望。

20.
最长的电影

我一直用我的音乐、我的影像
来记录这一切美好事物

　　拍音乐录像带一直是我想要尝试的创作之一，因为我相信影像可以帮音乐加分，也因为已经累积多年音乐经历，和参与多次MV拍摄工作，所以每次拍摄音乐录像带时，我可以很快地在音乐里找到画面。

　　就像是我平常创作每首歌曲时，其实心里都有了这首歌该有的画面和感觉，所以拍摄音乐录像带对我来说，的确不是一件难事。

　　对我来说，还有一件最重要的事，就是可以通过影像的记录，保留这些即将消失的风景，或者会被改变的东西，更想把我在台北感受到的美好事物，拍摄下来，好好珍藏。像是某些街道、已经很难找到的日式平房甚至是我的古董车。或许有一天，这条街换了模样，平房变成了大楼，古董车进了废铁处理厂，但我可以通过影像和音乐把这些记录下来，不管经过多少时间，还是有机会让人看到。

我们的开始　是很长的电影　放映了三年　我票都还留着　冰上的芭蕾　脑海中还在旋转　望着你　慢慢忘记你

朦胧的时间　我们溜了多远　冰刀划的圈　圈起了谁改变　如果再重来　会不会稍嫌狼狈　爱是不是不开口才珍贵

再给我两分钟　让我把记忆结成冰　别融化了眼泪　你妆都花了要我怎么记得　记得你叫我忘了吧　记得你叫我忘了吧　你说你会哭　不是因为在乎

21.
菊花台

他其实很严肃　化妆师　杜国璋

　　跟他合作至今，除了身为他的化妆师之外，还常被他抓去演MV中几个角色。其实我很感谢他，他让我发现，原来我也是有演戏天分的。

　　也因为参与多次拍摄工作，我才知道音乐录像带拍摄工作，其实是很艰辛的。不但要配合歌曲本身，如果又加上剧情，在这么短的时间内，导演就变得十分重要。

　　其实他大可舒舒服服地当个歌手，让别的导演操这个心，但他却想自己完成这些事情。从他一开始当歌手到拍摄MV，甚至到后来进军大屏幕演电影，他其实一直默默地在旁边学习，不管是演技上还是剧组的硬设备，还有那些专业技术，他无时无刻不在学习。

　　他拥有这样的天分，所以总是学得比别人快。

　　私底下的他，像个大顽童一样，但一坐上导演椅，严肃的表情和专心的态度就全在他身上了，或许这就是他可以这么成功的原因吧！

你的泪光
柔弱中带伤
惨白的月弯弯钩住过往
夜太漫长
凝结成了霜
是谁在阁楼上冰冷的绝望
雨轻轻弹
朱红色的窗
我一生在纸上被风吹乱
梦在远方
化成一缕香
随风飘散你的模样

菊花残满地伤
你的笑容已泛黄
花落人断肠
我心事静静躺
北风乱夜未央
你的影子剪不断
徒留我孤单
在湖面成双

花已向晚
飘落了灿烂
凋谢的世道上命运不堪
愁莫渡江
秋心拆两半
怕你上不了岸一辈子摇晃

谁的江山
马蹄声狂乱
我一身的戎装呼啸沧桑
天微微亮
你轻声地叹
一夜惆怅如此委婉

菊花残满地伤
你的笑容已泛黄
花落人断肠
我心事静静躺
北风乱夜未央
你的影子剪不断
徒留我孤单
在湖面成双

菊花残满地伤
你的笑容已泛黄
花落人断肠
我心事静静躺
北风乱夜未央
你的影子剪不断
徒留我孤单
在湖面成双

22.
我不配

戏如人生　人生如戏

华人歌手，很少拍关于自己生活的MV，我很想拍一个让艺人朋友看了有共鸣的剧情。

所以《我不配》这部音乐录像带，我放了一些比较写实的画面。例如看电影要坐远远的，吃饭要戴口罩之类的画面。

所以艺人谈恋爱是很辛苦的，好险现在单身，所以没有这个问题。

这街上太拥挤　太多人有秘密　玻璃上有雾气谁被隐藏起过去
你脸上的情绪　在还原那场雨　这巷弄太过弯曲走不回故事里

这日子不再绿　又斑驳了几句　剩下搬空回忆的我在大房子里
电影院的座椅　隔遥远的距离　感情没有对手戏你跟自己下棋

还来不及仔仔细细写下你的关于
描述我如何爱你　你却微笑地离我而去

这感觉　已经不对　我努力在挽回
一些些　应该体贴的感觉　我没给
你嘟嘴　许的愿望很卑微　在妥协
是我忽略　你不过要人陪

这感觉　已经不对　我最后才了解
一页页　不忍翻阅的情节　你好累
你默背　为我掉过几次泪　多憔悴
而我心碎你受罪　你的美　我不配

这街上太拥挤　太多人有秘密　玻璃上有雾气谁被隐藏起过去
你脸上的情绪　在还原那场雨　这巷弄太过弯曲走不回故事里

这日子不再绿　又斑驳了几句　剩下搬空回忆的我在大房子里
电影院的座椅　隔遥远的距离　感情没有对手戏你跟自己下棋

还来不及仔仔细细写下你的关于
描述我如何爱你　你却微笑地离我而去

这感觉　已经不对　我努力在挽回
一些些　应该体贴的感觉　我没给
你嘟嘴　许的愿望很卑微　在妥协
是我忽略　你不过要人陪

这感觉　已经不对　我最后才了解
一页页　不忍翻阅的情节　你好累
你默背　为我掉过几次泪　多憔悴
而我心碎你受罪　你的美　我不配

这感觉　已经不对　我努力在挽回
一些些　应该体贴的感觉　我没给
你嘟嘴　许的愿望很卑微　在妥协
是我忽略　你不过要人陪

这感觉　已经不对　我最后才了解
一页页　不忍翻阅的情节　你好累
你默背　为我掉过几次泪　多憔悴
而我心碎你受罪　你的美　我不配

23.
听妈妈的话

小朋友你是否有很多问号　为什么　别人在那儿看漫画　我却在学画画　对着钢琴说话　别人在玩游戏　我却靠在墙壁背我的ABC

我说我要一个大大的飞机　但却得到一台旧旧录音机　为什么要听妈妈的话　长大后你就会开始懂了这段话　长大后我开始明白　为什么我跑得比别人快　飞得比别人高　将来大家看的都是我画的漫画　大家唱的都是我写的歌
妈妈的辛苦不让你看见　温暖的食谱在她心里面　有空就多多握握她的手　把手牵着一起梦游

听妈妈的话　别让她受伤　想快快长大　才能保护她　美丽的白发　幸福中发芽　天使的魔法　温暖中慈祥

在你的未来　音乐是你的王牌　拿王牌谈个恋爱　唉　我不想把你教坏　还是听妈妈的话吧　晚点再恋爱吧　我知道你未来的路　但妈比我更清楚

你会开始学其他同学在书包写东写西　但我建议最好写妈妈我会用功读书　用功读书　怎么会从我嘴巴说出　不想你输　所以要叫你用功读书
妈妈织给你的毛衣　你要好好地收着　因为母亲节到时　我要告诉她我还留着　对了　我会遇到周润发　所以你可以跟同学炫耀赌神未来是你爸爸

我找不到童年写的情书　你写完不要送人　因为过两天你会在操场上捡到　你会开始喜欢上流行歌　因为张学友开始准备唱《吻别》
听妈妈的话　别让她受伤　想快快长大　才能保护她　美丽的白发　幸福中发芽　天使的魔法　温暖中慈祥
听妈妈的话　别让她受伤　想快快长大　才能保护她

所谓的故事　其实蕴涵深刻的意义在其中

帮别人执导的MV里面，我觉得最好的是Alan柯有伦的MV——《不用担心》。

曾经有艺人朋友打电话来告诉我，看到那部MV被剧情感动了。

很多人都认为我拍MV是玩票性质，没错，在某些层面上，我的确是。

但我却是赋予感情地在对待每次拍摄工作。

这部MV的剧情其实是在说，如果可以，不要让自己深陷在遗憾里，好好珍惜身边的每一个人，甚至每一刻。但当遗憾造成时，生命如果可以重来，你会做何选择呢？

24.
千里之外

中国风 绝对是我的招牌

每个厨师都必须要有自己的拿手料理，不要随波逐流。

而我的招牌就是"中国风"。

"中国风"系列的音乐录像带，就是我专属的招牌料理。这也得感谢方文山的歌词，已经完整表达出整首歌的意境，所以在拍摄音乐录像带时，我更能掌握整个故事的剧情和氛围。

张艺谋导演的电影颜色美学影响我很深，尤其是《英雄》这部电影，让我印象深刻。

所以"中国风"系列的音乐录像带，我偏好浓烈的色调（偏红居多），来呈现整体的视觉和美学概念。因此，其他的导演，如果拍摄中国风浓厚的音乐录像带时，容易被拿出来和我做比较。

屋檐如悬崖　风铃如沧海　我等燕归来　时间被安排　演一场意外　你悄然走开　故事在城外　浓雾散不开　看不清对白　你听不出来　风声不存在　是我在感慨

梦醒来　是谁在窗台　把结局打开　那薄如蝉翼的未来　禁不起谁来拆

我送你离开　千里之外　你无声黑白　沉默年代　或许不该　太遥远地相爱　我送你离开　天涯之外　你是否还在　琴声何来　生死难猜　用一生　去等待

闻泪声入林　寻梨花白　只得一行青苔　天在山之外　雨落花台　我两鬓斑白　闻泪声入林　寻梨花白　只得一行青苔　天在山之外　雨落花台　我等你来

一身琉璃白　透明着尘埃　你无瑕的爱　你从雨中来　诗化了悲哀　我淋湿现在　芙蓉水面采　船行影犹在　你却不回来　被岁月覆盖　你说的花开　过去成空白

梦醒来　是谁在窗台　把结局打开　那薄如蝉翼的未来　禁不起谁来拆

我送你离开　千里之外　你无声黑白　沉默年代　或许不该　太遥远地相爱　我送你离开　天涯之外　你是否还在　琴声何来　生死难猜　用一生
我送你离开　千里之外　你无声黑白　沉默年代　或许不该　太遥远地相爱　我送你离开　天涯之外　你是否还在　琴声何来　生死难猜　用一生去等待

25.
彩虹

哪里有彩虹告诉我　能不能把我的愿望还给我　为什么天这么安静　所有的云都跑到我这里

有没有口罩一个给我　释怀说了太多就成真不了　也许时间是一种解药　也是我现在正服下的毒药

看不见你的笑　我怎么睡得着　你的声音这么近我却抱不到　没有地球　太阳还是会绕　没有理由　我也能自己走

你要离开　我知道很简单　你说依赖　是我们的阻碍　就算放开　但能不能别没收我的爱　当做我最后才明白

有没有口罩一个给我　释怀说了太多就成真不了　也许时间是一种解药　也是我现在正服下的毒药

看不见你的笑　我怎么睡得着　你的声音这么近我却抱不到　没有地球　太阳还是会绕　没有理由　我也能自己走

你要离开　我知道很简单　你说依赖　是我们的阻碍　就算放开　但能不能别没收我的爱　当做我最后才明白

看不见你的笑　要我怎么睡得着　你的声音这么近我却抱不到　没有地球太阳还是会绕会绕　没有理由我也能自己走掉

释怀说了太多就成真不了　也许时间是一种解药解药　也是我现在正服下的毒药

你要离开　我知道很简单　你说依赖　是我们的阻碍　就算放开　但能不能别没收我的爱　当做我最后才明白

亲民派导演 制片 孙崇智

因为熟知圈内很多导演和歌手，在片场中都会有特殊的要求，第一次跟他合作拍MV时，我紧张地问他：

"导演请问你要吃什么？"

没想到他的回应是："没关系，你给我鸡腿饭就好了。"

"什么?!"

我眼前这位众所皆知的巨星，竟然完全没有架子，也没有特殊要求，这一点太让我出乎意料了，也让原本十分紧张的我，松了一口气。就这段短短的对话，让我至今印象深刻。

《龙战骑士》是一部把大家累惨的MV。拍摄时间长达三天，不但有无数爆破画面，还有十分折腾人的钢丝。患有强直性脊椎炎的他，还是继续忍着痛，硬撑着把整部MV完成。

当时我被他的精神所感动。原来他会如此成功，不是没有原因的。

灵活度是他最大的优点，片场难免会遇到不可执行之因素，他总可以用最快的速度去做更动和改变，而且不会耽误拍片进度。

执行力强是他的行事态度。我们会时常接到他的电话。只要发片期一到，我们便开始全面戒备。

他常常有出其不意的想法，让我们非常钦佩。只要时间许可，我想他应该每部音乐录像带都会想自己完成。

对于制片组而言，找场地一直是我们最担忧的事情。但也因为是他所执导的影片，我们总能找到别人没有拍过的场景，甚至别人无法使用的地方，这点让我们都十分有成就感。

在他身上我看到的不单是一个创作歌手的才华，或一个导演的气度，更多的是，他所拥有的工作精神和态度，很让人折服。

26.
枫

我很爱说故事　而且一定要说得很清楚

　　我很怕看艰深难懂的剧情片，所以在拍摄音乐录像带时，我总觉得故事易懂很重要。我承认我很爱说故事，这跟我爱表演也有关系。因为通过拍摄MV可以讲十个不同的故事，可以扮演十个不同的角色，这是多过瘾的一件事啊！

　　既然要说故事，就要说得清楚明白，我可以为了把故事交代清楚，舍弃更多MV必须要有的对嘴画面。

看不懂的剧情片，只是拍给自己看的，而不是拍给观众看的。

我喜欢用画面说故事，尤其是感人的故事，就像我写歌一样。

有些歌曲是有教育意义的，有些则是让人抒发情绪的情歌，当然也会有让人愉快的快歌。

但是我偏好的还是有故事剧情的音乐录像带，我就是有说不完的故事 。

乌云在我们心里搁下一块阴影　我聆听沉寂已久的心情　清晰透明　就像美丽的风景　总在回忆里才看得清

被伤透的心能不能够继续爱我　我用力牵起没温度的双手　过往温柔已经被时间上锁　只剩挥散不去的难过

缓缓飘落的枫叶像思念　我点燃烛火温暖岁末的秋天　极光掠夺天边　北风掠过想你的容颜

我把爱烧成了落叶　却换不回熟悉的那张脸

缓缓飘落的枫叶像思念　为何挽回要赶在冬天来之前　爱你穿越时间　两行来自秋末的眼泪　让爱渗透了地面　我要的只是你在我身边

被伤透的心能不能够继续爱我　我用力牵起没温度的双手　过往温柔已经被时间上锁　只剩挥散不去的难过

在山腰间飘逸的红雨　随着北风凋零　我轻轻摇曳风铃　想　唤醒被遗弃的爱情　雪花已铺满了地　生怕窗外枫叶已结成冰

缓缓飘落的枫叶像思念　我点燃烛火温暖岁末的秋天　极光掠夺天边　北风掠过想你的容颜　我把爱烧成了落叶　却换不回熟悉的那张脸

缓缓飘落的枫叶像思念　为何挽回要赶在冬天来之前　爱你穿越时间　两行来自秋末的眼泪　让爱渗透了地面　我要的只是你在我身边

天空灰得像哭过　离开你以后　并没有　更自由　酸酸的空气　嗅出我们的距离　一幕锥心的结局　像呼吸般无法停息

抽屉泛黄的日记　榨干了回忆　那笑容　是夏季　你我的过去被顺时针地忘记　缺氧过后的爱情　粗心的眼泪是多余

我知道你我都没有错　只是忘了怎么退后　信誓旦旦给了承诺　却被时间扑了空

我知道我们都没有错　只是放手会比较好过　最美的爱情　回忆里待续

27.
退后

把MV当电影在拍

　　电影需要花费很长的时间去构思和拍摄，以我目前的时间，要去完成一部电影的拍摄，的确不太可行，好在每年我都有发行专辑，可以把音乐录像带当电影拍摄，过过戏瘾。拍MV就可以满足拍电影时的感觉，但电影的价值远大于音乐录像带，因为它可以存留更长的时间。MV只有几分钟的时间，甚至在播放时，大家可能转台，所以错过了。但不管如何，我还是会以拍摄电影的使命来完成它。

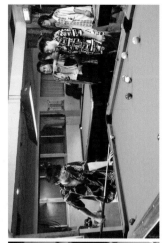

旌旗如虹　山堆叠如峰
这军队蜿蜒如龙　杀气如风　血色如酒红
将军我傲气如冲　神色悍如凶
黄金甲如忠　铁骑剽悍我行如轰

景色如冬　萧瑟如枫　攻势如弓　魂断犹如梦中
一静一动　如松　千年不变　如空　如空　如空

血染盔甲　我挥泪杀
满城菊花　谁的天下
宫廷之上　狼烟风沙
生死不过　一刀的疤

仇恨绵延如火　愁入眉头如锁
情感漂泊漂泊　漂泊一世如我
今生繁华如昨　兵戎相见如破
千军万马万马　万马奔腾那骨肉相残如错
陈年战事如酒　成败转眼如秋
遍地烽火烽火

烽火回忆如锈（那烽火回忆如锈）
杀戮过重如否（那杀戮过重如否）
烽火回忆如锈（那烽火回忆如锈）
皇室血脉如断流（皇室血脉如断流）

血染盔甲　我挥泪杀
满城菊花　谁的天下
宫廷之上　狼烟风沙
生死不过　一刀的疤

盔甲　我挥泪杀
满城菊花　谁的天下
宫廷之上　狼烟风沙

生死不过　一刀的疤

血染盔甲　我挥泪杀
横刀立马　看谁倒下
爱恨对话　历史留下
谁在乱箭　之中潇洒

28.
黄金甲

我是一个机动派的导演

我总是用最快的速度和执行力去完成每部MV拍摄。

我常常灵感一来了，刚好天气又很棒，就会急召剧组来现场直接开工。

我很感谢身边的工作人员，配合我这个机动个性，可以让我在有限的时间，完成每部MV的拍摄工作。但我相信，大家看到完成品，就会知道这一切都是值得的。

像魔术师般的导演　美术　阿信

对于时间总是不够用的他来说，我们也是跟着他的时间在跑着。每到拍摄期间，我们往往只有很短的时间来完成MV场景制图、搭景，然后开工。

从前置开始，他会给我明确的方向，例如有斜屋顶的阁楼，想要某种砖墙，或者指定哪个年代甚至是哪部电影的空间……

他边说我就会边着手画好草图，让他确认后才会进行施工。最快二十四小时就得完成所有的搭景，然后进行拍摄工作。当然也常碰到花了三四天搭的场景，在我们几乎都睡在片场的情况下，却只花了几个钟头的时间，就完成场景拍摄了。《免费教学录影带》中的唱片场景就是最好的例子。

有时候因为某一个场景，让他看了之后有了新的创作灵感，临时又写了另外一首新歌，又冲回片场直接拍摄音乐录像带，预计放进下张专辑。《跨时代》这部音乐录像带中的舞蹈画面就是这样诞生的。

他总是像魔术师一样，我们提供道具材料给他，他看到了场景，听到了音乐，就开始变出属于他的一场华丽魔术秀。

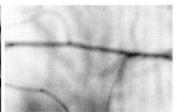

STYLE

Music等于Footage不等于Music

MV特殊造型分析　林华湘

牛仔风　● 【牛仔很忙】

　　这套造型重点除了合身牛仔裤、格子衬衫、牛仔外套与背心、牛仔帽、线条较为刚硬的皮马靴之外，当然还少不了重要配件——领巾。

　　一般牛仔的造型少不了金属感重的单品，比如用宽版皮带和大方戒点缀造型的完整性。

　　其中一款黑色流苏背心的造型，则是用黑色天鹅绒布做成的花项链代替了羽毛饰品，跳脱制式牛仔的阳刚味。

　　这次就用了三十几种不同花色的领巾，以及二十多顶各式各样的牛仔帽互相搭配，呈现出上世纪六十年代美式风格的全新视觉。

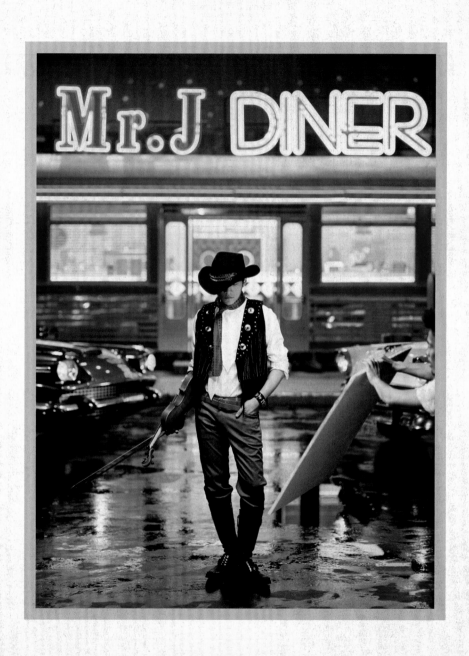

英伦朋克风　● 【阳光宅男】

　　黑红相间的格子裤，再配上英式学院风的大领结，混搭出"英伦气质风"。

　　皮衣外套绝对是Rocker的必备品，但我们却改搭配亮皮西装外套，让整体造型更有亮点，视觉效果显得强烈又不失摇滚精神。

　　整套造型最大的巧思则是他手上的蕾丝手套，完全取代了原本的朋克风皮手套，这可是一般男艺人最不会尝试的造型单品呢！

时尚风　● 【嘻哈空姐】

　　黑色亮片漆皮戎装帽及黑色衬衫，衬衫上最为亮眼的是手工缝制的银色水钻衬衫领。

　　无领西装外套配上金色丹宁裤和低筒尖头靴，摆脱制式严肃机长造型，但不失挺拔帅气，反而更为性感时尚。

东瀛风　● 【稻香】

　　这款造型最大的特点是用蓬松飘逸的棉麻裤裙配上剪裁独特的上衣，裤裙上还绣有东瀛风味的图腾，再戴上一顶草帽更增添浓浓的乡村风味。

　　其中一款斑马纹外套造型，原本是件长袖的西装外套，特意裁剪成七分袖款，让整体感更为轻盈，不会太过于沉重。西装外套领口缝上了木质珠珠，且搭配木制项链，更显得自然清新。

　　皮手套也是这次造型中别具巧思的安排，让整体造型除了主要视觉强烈外，更利用这些小单品，混搭出不一样的思维。

鬼魅风　● 【跨时代】

　　紫色天鹅绒外套及背心，加上高领荷叶边衬衫，蕾丝袖口点缀更是显得华丽感十足。

　　配上绣珠腰封，完全是中古欧洲贵族风最为主要的元素，也让吸血鬼扮相更显得高贵优雅。这次还特地贴上铆钉的指甲片，让握着酒杯的手流露出个性的华丽感。眼睛戴上了特殊的隐形眼镜，一双电眼里有着动物般的直立椭圆瞳孔，让吸血鬼的整体造型华丽又神秘。

　　发型部分则是将刘海儿梳高露出额头，更显出表情中的冷冽感，增添些许鬼魅的气质。

骑士风

● 【龙战骑士】

　　皮衣皮裤和长靴绝对是营造骑士风的必备品，但如果全都是黑色系的皮衣装扮会显得过于单调。裤子部分则是开模定制，用了许多零件去组成，上了漆仿旧，让整件裤装显得更有金属感，搭上立领皮衣外套，营造野性十足的整体感。

复古风

● 【迷迭香】

复古造型一直是他最喜爱的造型之一，并且尝试不同年代和故事背景做不同造型的转换。

《千里之外》的复古造型是经典西装款式，背心、领带、复古西装的时尚穿法，每一样单品加上去，变化出各种Look，呈现出二十世纪六七十年代的完整。

奇幻风　● 【魔术先生、乔克叔叔】

《魔术先生》犹如精彩的嘉年华会，而《乔克叔叔》奢华喧闹的背后隐含孤寂感。

以《乔克叔叔》来说，标准小丑造型——蓝色西装外套搭上鲜黄色的裤装，华丽且夸张的装扮，滑稽感十足。另一款造型则是紫色星星西装，华丽中带有趣味性，将小丑个性表露无遗。

《魔术先生》其中一款造型，是神似扑克牌造型的黑白格子衬衫搭上黑色的毛手套，表现出魔术师高贵大气的风范。